没有什么事是学霸们不能解决的

如果有

那一定是因为TA太爱你

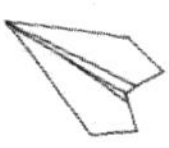

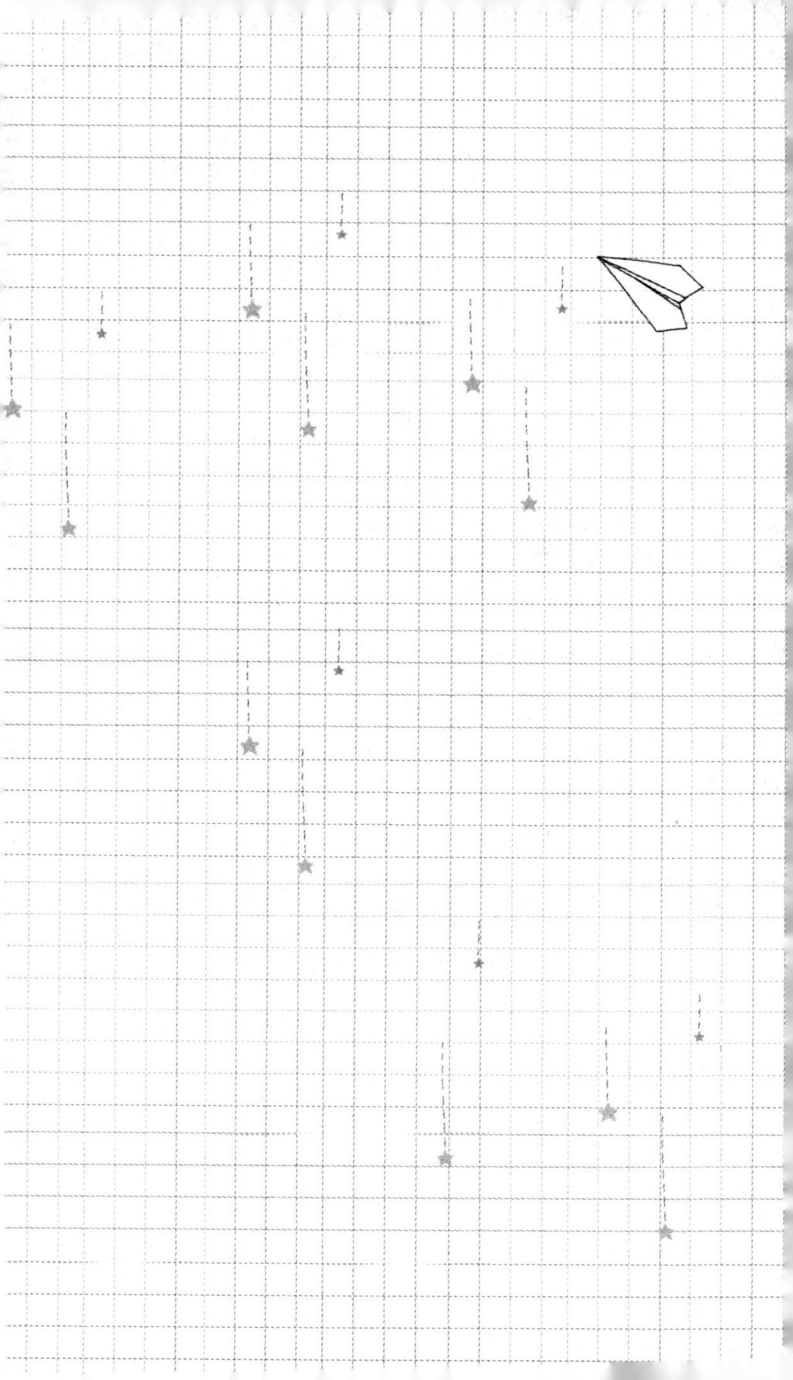

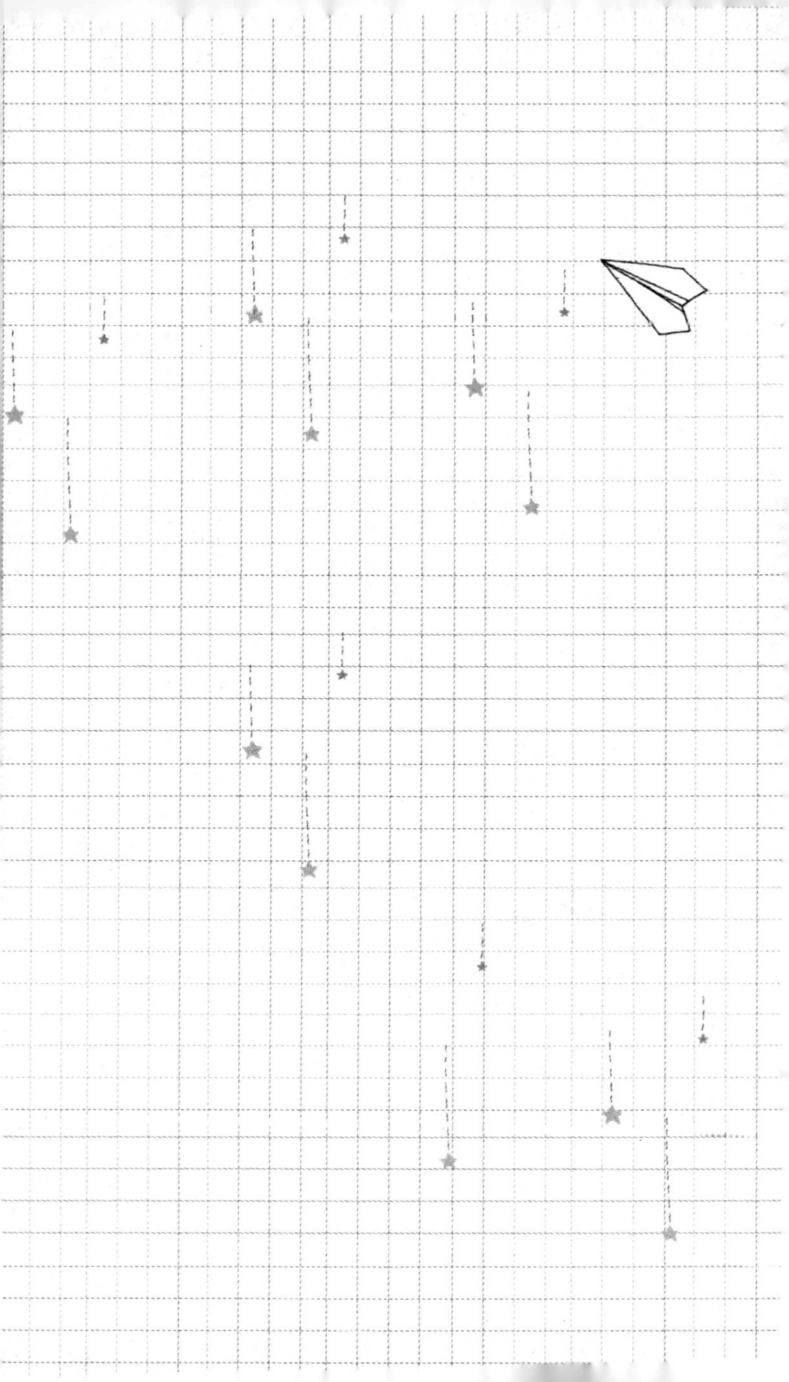

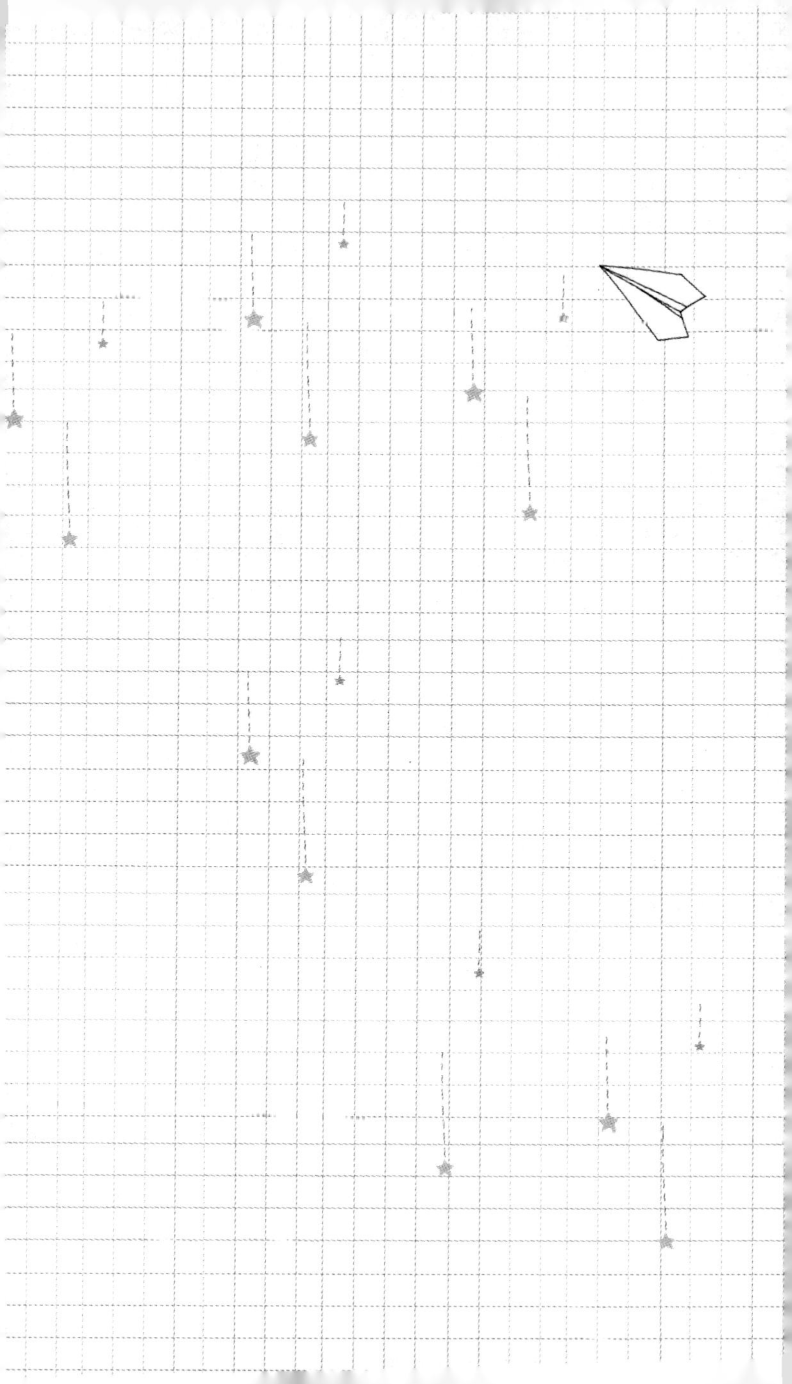

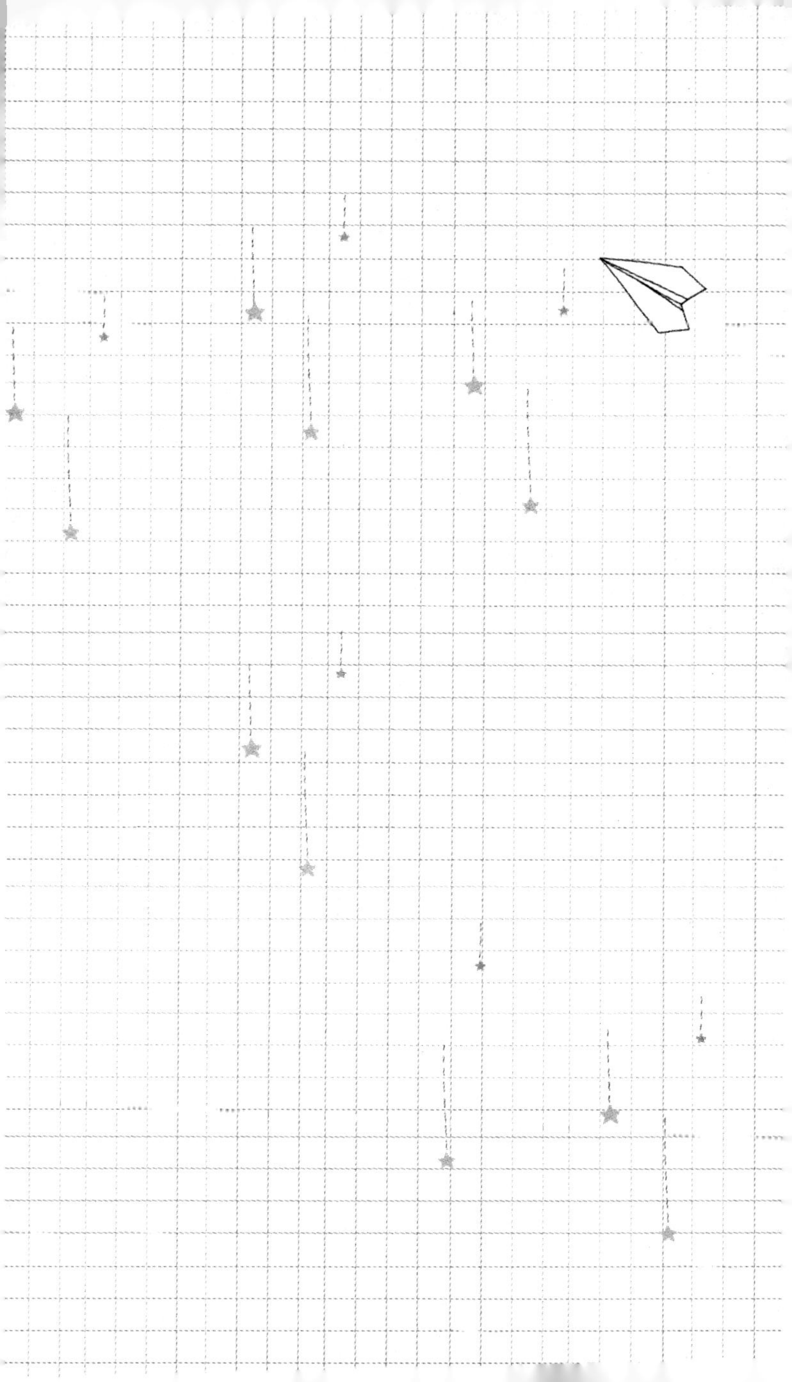

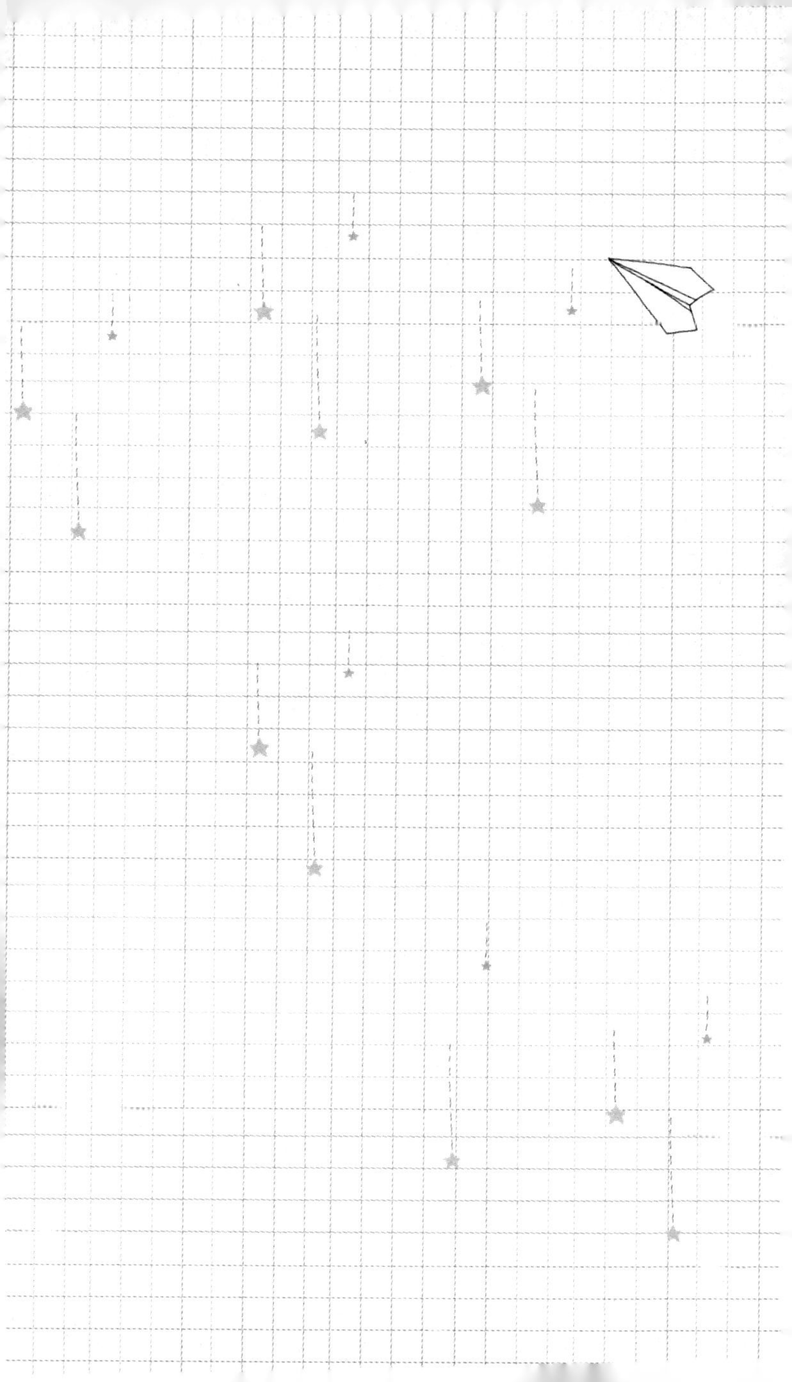

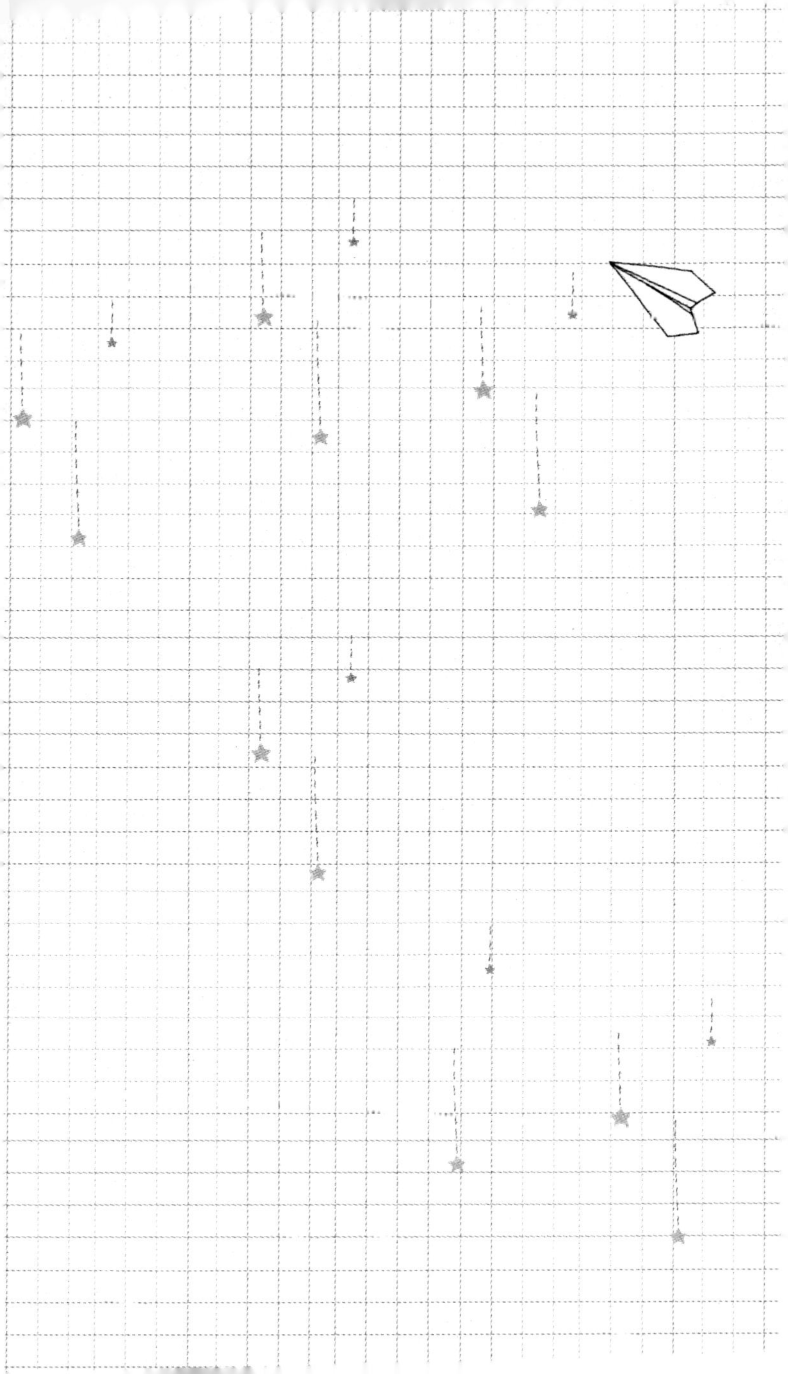

明沧：安妮你觉得人分为几种？

祝安妮：天才和凡人

明沧：那我呢？

祝安妮：第三种——心上人。

总有一天你会明白

最好的爱情

是一场势均力敌的双人博弈

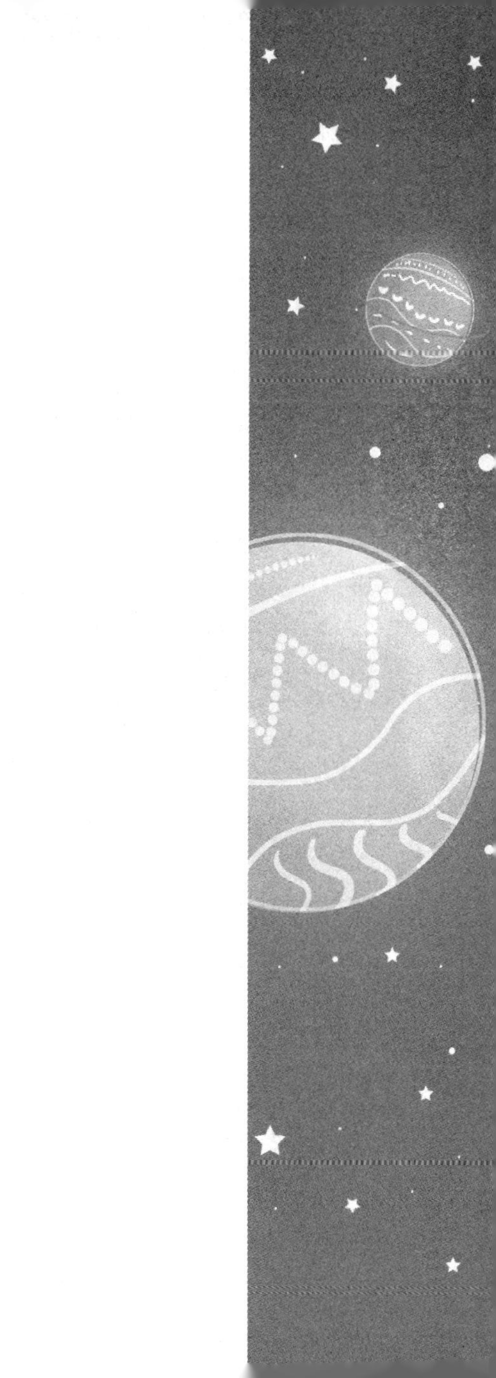

对于天才来说，任何较量中的失败
都是难以磨灭的心伤。
可唯独将一颗真心输给明沧，
是祝安妮甘之如饴的事情。